LA GUÍA DE BARBACOA DEFINITIVA

50 FANTASÍA RECETAS AL AIRE LIBRE

ALBA CHIRINOS

Reservados todos los derechos.

Descargo de responsabilidad

TABLE OF CONTENTS

INTRODUCCIÓN

¡Bienvenido al libro de cocina BBQ!

Estás a punto de embarcarte en una aventura que no solo es divertida, sino que quizás incluso un poco adictiva. Sin embargo, una cosa es segura: ¡es delicioso!

¿Eres nuevo en la parrilla? ¿Tienes miedo de encender una barbacoa? Bueno, no tengas miedo. No es tan complicado como parece. ¡Este libro tiene algunas recetas listas para usar y algunas incluso piden que se cocine a la parrilla en el interior!

¿Qué es la barbacoa?

Barbecue se originó a partir de la palabra caribeña 'barbacoa', que es una estructura indígena nativa utilizada para ahumar carnes.

Es importante tener en cuenta que asar a la parrilla y asar a la parrilla son dos conceptos diferentes. Mientras que la parrilla usa calor alto y directo para cocciones rápidas (piense en hamburguesas, hot dogs y bistec), asar a la parrilla, por otro lado, requiere fuego indirecto, constante, bajo y tiempos de cocción más largos. Las barbacoas también utilizan diferentes tipos de madera ahumada para una capa adicional de sabor sobre el humo del carbón. La carne utilizada para la barbacoa también tiende a tener un mayor contenido de grasa, lo que proporciona ablandamiento y sabor durante un largo tiempo de cocción.

Consejos para empezar:

- Para evitar perder jugos durante el volteo, siempre voltee la carne o las verduras con unas pinzas o una espátula.

- ¡No presione nada con una espátula mientras estén asando! Esto exprime los jugos.

- Para un gran sabor ahumado, remoje algunas astillas de madera en agua.

- Para infundir esencia de hierbas en los alimentos asados a la parrilla, arroje las hierbas directamente sobre el carbón mientras asas a la parrilla.

CERDO

1. Collar de cerdo y adobo de romero

Tiempo de preparación: 15 minutos.

Ingredientes:

- 1 collar de cerdo, 3-4 libras
- 3 cucharadas de romero fresco
- 3 chalotas picadas
- 2 cucharadas de ajo picado
- $\frac{1}{2}$ taza de bourbon
- 2 cucharaditas de cilantro molido

- 1 botella de cerveza de manzana
- 1 cucharadita de pimienta negra molida
- 2 cucharaditas de sal
- 3 cucharadas de aceite

Direcciones:

Tome una bolsa con cierre hermético y agregue pimienta, sal, aceite de canola, cerveza de manzana, bourbon, cilantro, ajo, chalotes y romero y mezcle bien.

Cortar la carne en losas y agregarlas a la marinada, dejar enfriar durante la noche.

Precaliente su ahumador a 450 grados F

Transfiera la carne al ahumador y ahúmela durante 5 minutos, baje la temperatura de ahumado a 325 grados F

Vierta la marinada por todas partes y cocine por 25 minutos más hasta que la temperatura interna del humo alcance los 160 grados F

2. Jamon asado

Ingredientes:

- 8-10 libras de jamón con hueso
- 2 cucharadas de mostaza, Dijon
- $\frac{1}{4}$ taza de rábano picante
- 1 botella de salsa de albaricoque BBQ

Direcciones:

Precaliente su ahumador a 325 grados F

Cubrir una fuente para asar con papel de aluminio y colocar el jamón, transferir al ahumador y ahumar durante 1 hora y 30 minutos.

Toma una sartén pequeña y agrega la salsa, la mostaza y el rábano picante, colócalo a fuego medio y cocina por unos minutos.

Mantenlo a un lado

Después de 1 hora y 30 minutos de ahumar, glasear el jamón y ahumar durante 30 minutos más hasta que la temperatura interna del humo alcance los 135 grados F

¡Déjalo reposar 20 minutos, córtalo y disfruta!

3. Lomo de cerdo ahumado

Ingredientes:

- $\frac{1}{2}$ cuarto de jugo de manzana
- $\frac{1}{2}$ cuarto de vinagre de sidra de manzana
- $\frac{1}{2}$ taza de azucar
- $\frac{1}{4}$ taza de sal
- 2 cucharadas de pimienta molida fresca
- 1 lomo de cerdo asado
- $\frac{1}{2}$ taza de condimento griego

Direcciones:

Tome un recipiente grande y haga la mezcla de salmuera agregando jugo de manzana, vinagre, sal, pimienta, azúcar, humo líquido y revuelva

Sigue revolviendo hasta que el azúcar y la sal se hayan disuelto y agregado el lomo.

Agregue más agua si es necesario para sumergir la carne.

Cubra y enfríe durante la noche.

Precaliente su ahumador a 250 grados Fahrenheit con pellets de madera preferidos de nogal americano

Cubra la carne con condimento griego y transfiérala a su ahumador.

Ahumador durante 3 horas hasta que la temperatura interna de humo de la parte más gruesa registre 160 grados Fahrenheit

4. Costillas Ahumadas De Fresa Y Jalapeño

Ingredientes:

- 3 cucharadas de sal y pimienta
- 2 cucharadas de comino molido
- 1 cucharada de orégano seco
- 1 cucharada de ajo picado
- 2 cucharaditas de chile en polvo
- 1 cucharadita de semillas de apio
- 1 cucharadita de tomillo seco
- 1 parrilla de costillas
- 2 losas de costillitas de cerdo
- 1 taza de jugo de manzana
- 2 chiles jalapeños
- ½ taza de cerveza

- $\frac{1}{2}$ taza de cebolla picada
- $\frac{1}{4}$ taza de fresa sin azúcar
- 3 cucharadas de salsa BBQ
- 1 cucharada de aceite de oliva
- 2 dientes de ajo

Direcciones:

Coloque las costillas para la espalda de su bebé y el costillar de repuesto en hojas de papel de aluminio y frote la mezcla de especias por todo el cuerpo.

Divida y vierta el jugo de manzana entre los paquetes de papel de aluminio y junte los bordes para sellarlos

Cocine en su ahumador hasta que la superficie de su carne esté finamente seca, debería tomar entre 5 y 10 minutos.

5. Asado fácil de chuck de cerdo

Ingredientes:

- 1 asado entero de 4-5 libras
- $\frac{1}{4}$ taza de aceite de oliva
- $\frac{1}{4}$ de taza de azúcar morena compacta y firme
- 2 cucharadas de condimento cajún
- 2 cucharadas de pimentón
- 2 cucharadas de pimienta de cayena

Direcciones:

Precaliente su ahumador a 225 grados Fahrenheit con pellets de madera preferidos de roble

Frote el asado con aceite de oliva.

Tome un tazón pequeño y agregue azúcar morena, pimentón, condimento cajún, cayena

Cubra bien el asado con la mezcla de especias.

Transfiera el asado de mandril a la rejilla del ahumador y ahúmelo durante 4-5 horas.

6. Solomillo de cerdo con jalapeño y tocino

Ingredientes:

- $\frac{1}{4}$ taza de mostaza amarilla
- 2 (1 libra) de solomillos de cerdo
- $\frac{1}{4}$ de taza Our House Dry Rub
- 8 onzas de queso crema, ablandado
- 1 taza de queso cheddar rallado
- 1 cucharada de mantequilla sin sal, derretida
- 1 cucharada de ajo picado
- 2 chiles jalapeños, sin semillas y cortados en cubitos
- $1\frac{1}{2}$ libras de tocino

Direcciones:

Unte la mostaza por todos los solomillos de cerdo, luego espolvoree generosamente con el aderezo seco para cubrir la carne.

Coloca los solomillos directamente sobre la parrilla, cierra la tapa y ahúma durante 2 horas.

En un tazón pequeño, combine el queso crema, el queso cheddar, la mantequilla derretida, el ajo y los jalapeños.

Unte la mitad de la mezcla de queso crema en la cavidad del solomillo.

Envuelva bien el lomo con la mitad del tocino. Repita con el tocino restante y el otro trozo de carne.

Transfiera los solomillos envueltos en tocino a la parrilla, cierre la tapa y ahúmen durante unos 30 minutos.

7. Mocosos ahumados

Ingredientes:

- 4 latas (de 12 onzas) de cerveza
- 2 cebollas, cortadas en aros
- 2 pimientos morrones verdes, cortados en aros
- 2 cucharadas de mantequilla sin sal, y más para los panecillos
- 2 cucharadas de hojuelas de pimiento rojo
- 10 mocosos, crudos
- 10 panecillos de hoagie, partidos
- Mostaza, para servir

Direcciones:

Hierva la cerveza, las cebollas, los pimientos, la mantequilla y las hojuelas de pimiento rojo.

Coloque una sartén desechable a un lado de la parrilla y vierta la mezcla de cerveza caliente en ella, creando una "tina de mocoso".

Coloca los mocosos del otro lado de la parrilla, directamente sobre la rejilla, cierra la tapa y ahumar durante 1 hora, girando 2 o 3 veces.

Agregue los mocosos a la sartén con las cebollas y los pimientos, cubra bien con papel de aluminio y continúe fumando con la tapa cerrada durante 30 minutos a 1 hora.

Unte con mantequilla los lados cortados de los panecillos hoagie y tueste con el lado cortado hacia abajo en la parrilla.

Con una espumadera, retire los mocosos, las cebollas y los pimientos del líquido de cocción y deseche el líquido.

8. Asado de cerdo campestre

Ingredientes:

- 1 frasco (28 onzas) o 2 latas (14.5 onzas) de chucrut
- 3 manzanas Granny Smith, sin corazón y picadas
- $\frac{3}{4}$ taza de azúcar morena clara compacta
- 3 cucharadas de condimento griego
- 2 cucharaditas de hojas secas de albahaca
- Aceite de oliva virgen extra, para frotar
- 1 (2 a $2\frac{1}{2}$ libras) de lomo de cerdo asado

Direcciones:

En un tazón grande, mezcle el chucrut, las manzanas picadas y el azúcar morena.

Extienda la mezcla de chucrut y manzana en el fondo de una fuente para hornear de 9 por 13 pulgadas.

En un tazón pequeño, mezcle el condimento griego y la albahaca seca para untar.

Engrase el asado de cerdo y aplique el aderezo, luego colóquelo con la grasa hacia arriba en la fuente para hornear, encima del chucrut.

Transfiera la fuente para hornear a la parrilla, cierre la tapa y ase el cerdo durante 3 horas.

9. Chuletas de cerdo a la pimienta en escabeche

Ingredientes:

- 4 chuletas de cerdo (de 1 pulgada de grosor)
- $\frac{1}{2}$ taza de jugo de jalapeño en escabeche o jugo de pepinillo
- $\frac{1}{4}$ de taza de rodajas de chile jalapeño en escabeche (tarro) picado
- $\frac{1}{4}$ taza de pimientos rojos asados picados
- $\frac{1}{4}$ de taza de tomates enlatados en cubitos, bien escurridos
- $\frac{1}{4}$ de taza de cebolletas picadas
- 2 cucharaditas de condimento para aves
- 2 cucharaditas de sal

- 2 cucharaditas de pimienta negra recién molida

Direcciones:

Vierta el jugo de jalapeño en un recipiente grande con tapa. Agregue las chuletas de cerdo, cubra y deje marinar en el refrigerador durante al menos 4 horas o durante la noche, complementando o sustituyendo el jugo de pepinillos como desee.

En un tazón pequeño, combine los jalapeños en escabeche picados, los pimientos rojos asados, los tomates, las cebolletas y el condimento para aves para hacer un condimento. Dejar de lado.

Retire las chuletas de cerdo de la marinada y sacuda el exceso. Desecha la marinada. Sazone ambos lados de las chuletas con sal y pimienta.

Coloca las chuletas de cerdo directamente en la parrilla, cierra la tapa y ahúmalas de 45 a 50 minutos.

10. Jamón Glaseado con Azúcar del Sur

Ingredientes:

- 1 (12 a 15 libras) de jamón entero con hueso, completamente cocido
- $\frac{1}{4}$ taza de mostaza amarilla
- 1 taza de jugo de piña
- $\frac{1}{2}$ taza de azúcar morena clara compacta
- 1 cucharadita de canela en polvo
- $\frac{1}{2}$ cucharadita de clavo molido

Direcciones:

Precaliente, con la tapa cerrada, a 275 ° F.

Quite el exceso de grasa y piel del jamón, dejando una capa de grasa de $\frac{1}{4}$ de pulgada. Coloque el jamón en una fuente para hornear forrada con papel de aluminio.

En la estufa de la cocina, en una cacerola mediana a fuego lento, combine la mostaza, el jugo de piña, el azúcar morena, la canela y los clavos y cocine a fuego lento durante 15 minutos, o hasta que espese y se reduzca aproximadamente a la mitad.

Rocíe el jamón con la mitad del almíbar de piña y azúcar morena, reservando el resto para rociar más tarde en la cocción.

Coloque la fuente para asar en la parrilla, cierre la tapa y ahumar durante 4 horas.

Rocíe el jamón con el resto del jarabe de piña y azúcar morena y continúe ahumando con la tapa cerrada durante una hora más. Atender

11. Bocaditos de tocino y salchicha

Ingredientes:

- Salchichas ahumadas - 1 paquete
- Tocino de corte grueso - 1 libra.
- Azúcar morena - 2 tazas

Direcciones:

Corta ⅓de las salchichas y envuélvelas alrededor de pequeños trozos de salchicha. Use un palillo de dientes para asegurarlos.

Forrar una bandeja de horno con papel de horno y colocar encima los pequeños trozos de salchicha envuelta.

Espolvorea azúcar morena encima.

Precaliente el pellet a 300 grados.

Mantenga la bandeja de horno con las salchichas envueltas adentro durante 30 minutos.

Retirar y dejar reposar al aire libre durante 15 minutos.

Sirva caliente con un chapuzón de su elección.

12. Chuletas de cerdo a la parrilla

Ingredientes:

- Chuletas de cerdo - 6, cortadas gruesas
- Mezcla de barbacoa

Direcciones:

Precaliente su parrilla de pellets a 450 grados.

Coloque las chuletas sazonadas en la parrilla. Cerrar la tapa.

Cocine por 6 minutos. La temperatura del humo debe rondar los 145 grados al retirar la tapa.

Retire las chuletas de cerdo.

Déjelo abierto durante 5-10 minutos.

Sirva con la guarnición de su elección.

13. Puercos en una sábana

Ingredientes:

- Salchichas de cerdo - 1 paquete
- Masa de galleta - 1 paquete

Direcciones:

Precaliente su parrilla de pellets a 350 grados.

Cortar las salchichas y la masa en tercios.

Envuelva la masa alrededor de las salchichas. Colócalos en una bandeja para hornear.

Ase con la tapa cerrada durante 20-25 minutos o hasta que se vean cocidos.

Sácalos cuando estén dorados.

Sirva con un chapuzón de su elección.

14. Tocino ahumado

Ingredientes:

- Tocino de corte grueso - 1 libra.

Direcciones:

Precaliente su parrilla de pellets a 375 grados.

Forre una bandeja para hornear considerable.
Coloque una sola capa de tocino de corte grueso
encima.

Hornea por 20 minutos y luego dale la vuelta al otro
lado.

Cocine por otros 10 minutos o hasta que el tocino
esté crujiente.

Sácalo y disfruta de tu sabroso tocino a la plancha.

15. Tocino ahumado, confitado y picante

Ingredientes:

- Tocino cortado al centro - 1 libra.
- Azúcar morena - ½ taza
- Sirope de arce - ½ taza
- Salsa picante - 1 cucharada
- Pimienta - ½ cucharada

Direcciones:

Mezcle el jarabe de arce, el azúcar morena, la salsa picante y la pimienta en un tazón.

Precaliente su parrilla de pellets a 300 grados.

Forre una bandeja para hornear y coloque las rodajas de tocino sobre ella.

Extienda generosamente la mezcla de azúcar morena en ambos lados de las rebanadas de tocino.

Coloque la sartén en la parrilla de pellets durante 20 minutos. Voltea los trozos de tocino.

Déjelos por otros 15 minutos hasta que el tocino se vea cocido y el azúcar se derrita.

Retirar de la parrilla y dejar reposar durante 10-15 minutos.

16. Costillas BBQ St. Louis

Ingredientes:

- carne de cerdo y carne de ave - 6 oz
- Hueso St. Louis en forma de costillas de cerdo - 2 parrillas
- Salsa BBQ caliente y dulce - 1 botella
- Jugo de manzana - 8 oz

Direcciones:

Aplique una capa uniforme de frote de aves en la parte delantera y trasera de las costillas.

Precaliente la parrilla de pellets durante unos 15 minutos. Coloque las costillas en la rejilla de la parrilla, con el hueso hacia abajo. Coloque el jugo de manzana en una botella con atomizador fácil y luego rocíelo uniformemente sobre las costillas. Ahuma la carne durante 1 hora.

Retire las costillas de la parrilla de pellets y envuélvalas bien en papel de aluminio. Vierta las 6 oz restantes de jugo de manzana en el papel de aluminio. Envuélvalo bien.

Coloque las costillas en la parrilla nuevamente, con la carne hacia abajo. Ahuma la carne por otras 3 horas.

Una vez que las costillas estén cocidas y cocidas uniformemente, deshágase del papel de aluminio. Cepille suavemente una capa de salsa en ambos lados de las costillas. Vuelva a colocarlos en la parrilla para que se cocinen durante otros 10 minutos para asegurarse de que la salsa esté bien cuajada.

17. Asado De Corona De Cerdo Relleno

Ingredientes:

- 12-14 costillas
- Vinagre de sidra de manzana - 2 cucharadas
- Jugo de manzana - 1 taza
- Mostaza de Dijon - 2 cucharadas
- Sal - 1 cucharadita
- Azúcar morena - 1 cucharada
- Tomillo recién picado - 2 cucharadas
- Dientes de ajo picado - 2
- Aceite de oliva - $\frac{1}{2}$ taza
- Pimienta molida gruesa - 1 cucharadita
- Tu relleno favorito - 8 tazas

Direcciones:

Use una brocha de repostería para aplicar la marinada al asado.

Ase la carne durante 30 minutos y luego reduzca la temperatura de humo de la parrilla. Llene la corona sin apretar con el relleno y amontónelo en la parte superior.

Ase bien el cerdo durante 90 minutos más.

Retire el asado de la parrilla. Deje reposar unos 15 minutos para que la carne se empape de todos los jugos. Retire el papel de aluminio que cubre los huesos. Deje la cuerda del carnicero puesta hasta que esté listo para tallarla.

18. Costillitas BBQ

Ingredientes:

- Costillitas de cerdo - 2 parrillas
- Jugo de manzana dividido - ½ taza
- Mostaza amarilla - ⅓taza
- Salsa BBQ - 1 taza
- Salsa Worcestershire - 1 cucharada
- Miel calentada - ⅓taza
- Azúcar morena oscura - ½ taza
- Masaje de carne de cerdo y aves de corral

Direcciones:

En un tazón pequeño, combine ¼ de taza de jugo de manzana, la mostaza y la salsa Worcestershire. Extienda la mezcla por ambos lados de las costillas de cerdo y sazone con el aderezo de cerdo y aves.

Ahuma las costillas durante unas 3 horas, con la carne hacia arriba. Regrese todas las costillas laminadas a la parrilla. Cocínalos por otras 2 horas.

Retire el papel de aluminio de las costillas y unte ambos lados con la salsa BBQ.

Continúe asándolos a la parrilla entre 30 y 60 minutos hasta que la salsa se solidifique.

19. Lomo de cerdo

Ingredientes:

- 1 Filete de cerdo GMG Pork Rub
- 1 taza de salsa teriyaki

Direcciones:

Puede utilizar de 1 a dos solomillos de cerdo. Frote generosamente los solomillos de cerdo con Green Mountain Pork Rub y déjelo reposar de 4 a 24 horas.

Coloque su parrilla ahumadora a 320 ° F (160 ° C) y cuando la parrilla alcance la temperatura de ahumado que está buscando, colóquela en el lomo y rocíe ambos lados con una marinada dulce como la salsa teriyaki

Cocine durante aproximadamente 1 hora y $\frac{1}{4}$ mientras gira con frecuencia o solo hasta que la temperatura interna de humo muestre al menos 165 ° F.

20. Asado De Lomo De Cerdo Con Manzana Y Naranja

Ingredientes:

- Granos de pimienta: 6
- Lomo de cerdo — 1 5 libras.
- jugo de naranja asado — ½ taza
- Limón: 1, cortado por la mitad
- Sal kosher — ½ taza
- Semillas de hinojo: ½ cucharadita.
- Azúcar morena: ¼ de taza
- Aceite de oliva: 2 cucharadas.
- Hojuelas de pimienta — ½ cucharadita.
- Ajo: 3 dientes

- Pimienta y sal, según sea necesario
- Jugo de manzana: $\frac{1}{2}$ taza
- Hojas de laurel 2
- Salsa

Direcciones:

En una olla lo suficientemente grande, prepare una mezcla de azúcar morena, sal, laurel, ajo, limón, granos de pimienta, hojuelas de pimienta, semillas de hinojo, jugo de naranja y manzana. Caliente y cocine a fuego lento para disolver el azúcar y la sal.

En la salmuera enfriada, agregue el asado de cerdo y sumerja. Refrigere durante 8 a 12 horas.

Use aceite de oliva para cubrir el asado y sazone con pimienta y sal.

Ase la carne en la rejilla para asar durante unos 23 a 26 minutos. Sirve con salsa.

21. Chuletas de cerdo con hueso con romero y tomillo

Ingredientes:

- Mantequilla: 2 cucharadas.
- Cerdo: 4 chuletas, con hueso
- Romero: 1 ramita
- Tomillo: 2 ramitas
- Carnes de cerdo, según el gusto

Direcciones:

Prepare su parrilla ahumadora precalentando a una temperatura de humo de aproximadamente 180 ° F. Cierre la tapa superior y déjela durante 12 a 18 minutos.

Use carne de cerdo para cubrir las chuletas correctamente.

Transfiera a la parrilla y deje que las chuletas humeen durante unos 35 a 40 minutos. Esto debería llevar la temperatura interna del humo a 130 ° F.

Retirar y reservar las chuletas para que se enfríen.

En una sartén de hierro fundido, combine las hierbas, la mantequilla y las chuletas de cerdo.

Dorar las chuletas, de 3 a 5 minutos por cada lado.

22. Costillas de cerdo ahumadas con salsa de granada

Ingredientes:

- Hojas de laurel 2
- Costillas de cerdo: 2 costillas de lomo
- Palitos de canela 2
- Bayas de pimienta de Jamaica: 2 cucharadas.
- Cebolla — 1
- Sal — $\frac{1}{2}$ taza
- Granos de pimienta enteros: 2 cucharadas.
- Ajo: 1 cabeza, cortada por la mitad
- Salsa

Direcciones:

Prepare la salmuera combinando agua con hojas de laurel, ajo, bayas de pimienta de Jamaica, cebolla, ramas de canela, pimienta y sal. Hervir y luego dejar enfriar la mezcla.

Sumerge las costillas de cerdo en la mezcla de salmuera. Cubra y deje reposar de 12 a 24 horas.

Coloque la sección de hueso de la costilla en la rejilla para asar. Ahúmalo durante aproximadamente 2 a 3 horas cubriéndolo regularmente con la salsa de granada.

23. Bolas de salchicha de cerdo tiernas y calientes

Ingredientes:

Para las albóndigas:

- Leche entera — $\frac{1}{2}$ taza
- Salchicha de cerdo: $\frac{1}{2}$ libra, suave, molida
- Carne molida — 2 $\frac{1}{4}$ libras.
- Huevo: 1
- Chile en polvo: 2 cucharaditas.
- Pan rallado: 1 taza
- Salsa picante: 1 cucharadita.

Direcciones:

En un tazón lo suficientemente grande, mezcle la salchicha molida, la carne y el pan rallado.

En un tazón diferente, prepare una mezcla de leche, salsa picante y huevo. Combine con la mezcla de salchicha y agregue pimienta, sal y chile en polvo.

Prepara las albóndigas y colócalas sobre papel de aluminio.

Coloque las albóndigas en una sartén de hierro fundido y transfiéralas a la parrilla para asar las albóndigas para que se ahumen durante unos 48 a 60 minutos.

Retirar la sartén de albóndigas ahumadas y verter sobre ellas la salsa preparada.

Cocine las albóndigas durante unos 35 a 45 minutos. Retirar y servir con más salsa.

24. Costillas de cerdo con jalea de pimienta

Ingredientes:

- Sake: $\frac{1}{2}$ taza
- Costillas de cerdo: 2 parrillas de lomo de cerdo, retire la membrana
- Ajo: 4 dientes, triturados
- Jugo de naranja: $\frac{1}{2}$ taza
- Masa para barbacoa: 4 cucharadas.
- Jengibre fresco: 1 pulgar, en rodajas
- Azúcar morena — $\frac{1}{2}$ taza
- Salsa hoisin: 1 taza
- Cebolletas: 6, en rodajas
- Pimienta de Cayena: $\frac{1}{2}$ cucharadita.

- Salsa de soja — $\frac{1}{2}$ taza
- Vidriar

Direcciones:

Use el aderezo para barbacoa para cubrir las costillas de cerdo y ahúmelas en una sartén sobre la parrilla durante unos 60 minutos.

Prepare una mezcla de salsa de soja, salsa hoisin, jugo de naranja, sake, cayena y azúcar morena. Disuelva el azúcar y agregue el jengibre y el ajo.

Vierta la mezcla preparada sobre las costillas de cerdo. Cubra y selle la sartén con papel de aluminio.

Cocine durante unas 3-4 horas. Retirar y dejar reposar las costillas.

25. Sopa de cuello de cerdo y frijoles del noroeste

Ingredientes:

- Ajo picado: 1 cucharada.
- Cuello de cerdo: 1 1/2 libras.
- Sal: 1 cucharadita.
- Caldo de pollo: 1 cuarto de galón
- Tocino: 3 rebanadas, picadas
- Salsa picante: 2 cucharaditas.
- Frijoles del noroeste: 2 latas
- Perejil fresco: 1 cucharada, cortado en cubitos
- Cebolla amarilla: 1 grande, cortada en cubitos

Direcciones:

Use sal y pimienta para sazonar el cuello de cerdo y transfiéralo a la parrilla. Fumar durante unas 2 horas. Reserva la carne para que se enfríe.

Use una olla lo suficientemente grande para calentar las cebollas en aceite y sazone con sal y pimienta.

Agregue el cuello de cerdo, la salsa picante y más sal a las cebollas cocidas. Agregue agua y deje hervir en la parrilla ahumadora, luego cocine a fuego lento.

Cocine a fuego lento durante aproximadamente 3 a 4 horas sin cubrir la tapa. Una vez enfriado, tirar la carne y desmenuzar.

Agregue la carne desmenuzada y los frijoles nuevamente a la mezcla de sopa y caliente bien.

Sirva con perejil y tocino picado.

26. Solomillos de cerdo ahumados

Ingredientes:

- 2 (1½ a 2 libras) de solomillo de cerdo
- Taza de aceite de oliva extra virgen sazonado con ajo asado
- Masa seca o carne de cerdo

Direcciones:

Frote los lados de los solomillos con el aceite de oliva y el residuo con la mezcla.

Envuelva los solomillos sazonados en una capa de plástico y refrigere de 2 a 4 horas.

Retire la capa de plástico de la carne. Coloca los solomillos en la parrilla y ahúmalos durante 45 minutos a 230 ° F.

Aumente la temperatura del humo del hoyo a 360 ° F y envuelva los lomos para alrededor de 45 que la otra zona alcance los 145 ° F.

Deje reposar los lomos de cerdo debajo de una carpa de papel de aluminio libre durante 10 minutos antes de servir.

27. Colillas de cerdo ahumadas con nogal desmenuzado

Ingredientes:

- 2 (10 libras) colillas de cerdo deshuesadas, rellenas al vacío o frescas
- 1 taza de aceite de oliva extra virgen sazonado con ajo asado
- ¾ taza de Pork Dry Rub, Jan's Original Dry Rub o su carne de cerdo preferida

Direcciones:

Frote cada uno de los lados de cada trasero de cerdo con el aceite. Espolvorea cada colilla de cerdo con una medida generosa del aliño y dale palmaditas con la mano.

Ahumar las colillas de cerdo durante 3 horas.

Retire las colillas de cerdo y cuélelas durante 3 a 4 horas antes de tirar y servir.

Forzar las colillas de cerdo ahumadas en pedazos mínimos suculentos utilizando su técnica de extracción preferida. Prefiero utilizar mis manos mientras uso guantes resistentes al calor.

Sirva el cerdo desmenuzado con salsa grill en un movimiento recién preparado cubierto con ensalada de col.

28. Solomillo de cerdo asado en tres formas

Ingredientes:

- $\frac{3}{4}$ taza de jugo de manzana 100%
- 2 cucharadas de aceite de oliva extra virgen sazonado con ajo asado
- 5 cucharadas de Pork Dry Rub o de un negocio, por ejemplo, Plowboys BBQ Bovine Bold

Direcciones:

Utilice un inyector de sabor / adobo para infundir todas las zonas de la punta asada con el jugo de manzana.

Frote todo el asado con el aceite de oliva y luego cubra generosamente con la mezcla.

Ase la carne hasta que la temperatura interna de humo alcance los 145 ° F, aproximadamente 1 hora y media.

Deje reposar el asado debajo de una carpa de aluminio libre durante 15 minutos.

29. Salchicha de cerdo ahumada

Ingredientes:

- 2 libras de lomo de cerdo, en cubos
- 1/2 libra de grasa de cerdo, en cubos
- 1/2 cucharadita de cebolla en polvo
- 1/2 cucharadita de ajo en polvo
- 1 cucharada de sal marina
- 1 1/2 cucharaditas de pimienta negra molida
- 1 cucharadita de azúcar morena
- 1/4 cucharadita de pimienta de cayena
- 1 1/2 cucharaditas de orégano seco

- 1/4 taza de agua

Direcciones:

Tome las tripas de cerdo, colóquelas en un recipiente grande, viértalas con agua y déjelas en remojo durante 1 hora.

Mientras tanto, coloque la manteca de cerdo y la grasa en un procesador de alimentos, procese hasta moler y coloque en un tazón grande. Condimentar con especias

Enjuague las tripas de cerdo, luego trabaje en una tripa a la vez, ate un extremo de la tripa y otro extremo abierto sobre la boquilla y empuje lentamente la mezcla de carne en la tripa hasta que se llene.

Seque la carcasa al aire durante 1 a 3 horas o gire la carcasa sobre una toalla de papel con frecuencia para secar sus superficies.

Cuando esté listo para cocinar, coloque la salchicha fría durante 20 a 30 minutos.

30. barbacoa de puerco

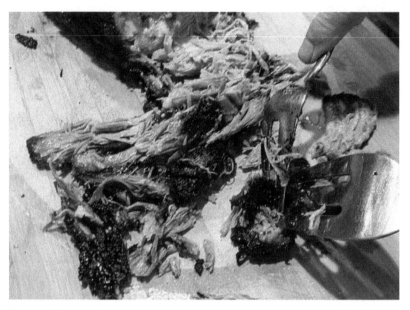

Ingredientes:

- Asado de cerdo de 8 libras, sin grasa
- 2 cucharadas de cebolla en polvo
- 2 cucharadas de ajo en polvo
- 1/4 taza de sal marina
- 1/2 taza de azúcar morena
- 1 cucharada de pimienta negra molida
- 1 cucharada de pimentón
- 1 cucharada de tomillo seco
- 1 cucharada de orégano seco
- 6 cucharadas de salsa BBQ de mostaza amarilla para servir

- Rollos de hamburguesa para servir

Direcciones:

Enjuague el cerdo, séquelo y frótelo con mostaza.

Mezcle los ingredientes restantes y espolvoree la mezcla de especias por todo el cerdo hasta que esté uniformemente cubierto.

Transfiera el asado de cerdo a una sartén de papel de aluminio, con la grasa hacia arriba, cubra con una envoltura de plástico y deje marinar en el refrigerador durante 8 a 12 horas.

Coloque la carne de cerdo en la rejilla del ahumador, programe el temporizador para ahumar durante 8 horas.

31. Bolonia ahumada

Ingredientes:

- 3 libras de rollo de mortadela
- 2 cucharadas de pimienta negra molida
- 3/4 taza de azúcar morena
- 1/4 taza de mostaza amarilla

Direcciones:

Enchufe el ahumador, precaliente el ahumador a 225 grados F.

Mientras tanto, marque la mortadela con un patrón de diamante de $\frac{1}{4}$ de pulgada de profundidad, luego cubra con mostaza y sazone con pimienta negra y azúcar.

Coloque la mortadela en la rejilla del ahumador, inserte un termómetro para carne, luego cierre con la tapa y programe el temporizador para fumar durante 3 a 4 horas.

32. Paletilla de cerdo ahumada

Ingredientes:

- Paletilla de cerdo asada de 8 libras, con hueso y sin grasa
- 2 cucharaditas de cebolla en polvo
- 2 cucharaditas de ajo en polvo
- 2 cucharaditas de sal de apio
- 4 cucharaditas de sal
- 2 cucharaditas de pimienta negra molida
- 1/4 taza de azúcar morena
- 1/2 cucharadita de pimienta de cayena
- 1/2 taza de pimentón
- 2 cucharaditas de mostaza seca

Direcciones:

Enjuague la paleta de cerdo, seque bien con toallas de papel y coloque el asado en una bandeja de aluminio.

Mezcle los ingredientes restantes hasta que se mezclen y luego sazone el asado con la mezcla de especias hasta que esté uniformemente cubierto.

Coloque la carne de cerdo en la rejilla del ahumador para ahumar durante 8 horas.

Cuando esté listo, transfiera la carne de cerdo a una tabla de cortar, cubra con papel de aluminio y deje reposar durante 30 minutos.

33. Lomo De Cerdo Con Especias

Ingredientes:

- Lomo de cerdo de 6 libras, deshuesado
- 1/2 cucharadita de ajo en polvo
- 2 cucharaditas de sal marina
- 1 cucharadita de pimienta negra molida
- 1 cucharada de polvo de cinco especias chinas
- 2 cucharadas de aceite de oliva

Direcciones:

Enjuague la carne de cerdo, séquela con toallas de papel y colóquela en una bandeja de aluminio.

Mezcle los ingredientes restantes hasta que se forme una pasta suave, luego frote esta pasta en todos los lados de la carne de cerdo y deje marinar durante 60 minutos a temperatura ambiente.

precalentar el ahumador a 225 grados F.

Coloque la carne de cerdo en la rejilla del ahumador para ahumar durante 3 horas.

Cuando esté listo, transfiera la carne de cerdo a una tabla de cortar, cúbrala con papel de aluminio y déjela reposar durante 30 minutos.

34. Porchetta Rellena

Ingredientes:

- 6 libras de panceta de cerdo, sin grasa
- 12 onzas de tomate seco para untar
- 2 tazas de giardiniera, estilo Chicago
- 1 taza de mermelada de tocino
- ½ taza de masa seca

Direcciones:

Precaliente el ahumador a 275 grados F.

Mientras tanto, enjuague la carne de cerdo, séquela y luego sazone con un toque seco en todos los lados hasta que esté uniformemente cubierta.

Coloque la carne de cerdo sazonada en una tabla de cortar o en un espacio de trabajo limpio; Unte el tomate para untar encima, cubra con giardiniera y tomate para untar, luego enrolle el cerdo y átelo con cordeles de cocina.

Coloque el cerdo relleno en la rejilla del ahumador, inserte un termómetro para carne, luego cierre con la tapa y programe el temporizador para fumar durante 2 a 3 horas o más hasta que el termómetro para carne registre una temperatura interna de humo de 195 grados F.

Cuando termine, transfiera la porchetta a una tabla de cortar, déjela reposar durante 15 minutos y luego córtela para servir.

CARNE DE VACA

35. Pechuga ahumada de Texas (sin envolver)

Ingredientes:

- 1 (12 libras) pechuga empacadora completa
- 2 cucharadas de mostaza amarilla
- 1 lote Espresso Brisket Rub
- Worcestershire Mop and Spritz, para rociar

Direcciones:

Cubra la pechuga con mostaza y sazone con el aderezo. Usando sus manos, frote la carne. Vierta la fregona en una botella de spray.

Coloque la pechuga directamente sobre la rejilla de la parrilla y fume hasta que su temperatura interna de humo alcance los 195 ° F, rociándola cada hora con el trapeador.

Saque la pechuga de la parrilla y envuélvala completamente en papel de aluminio o papel de estraza. Coloca la pechuga envuelta en un lugar más relajado, tapa el más relajado y déjalo reposar durante 1 o 2 horas.

Retirar la pechuga de la más relajada y desenvolverla.

36. Pecho Ahumado De Mezquite (Envuelto)

Ingredientes:

- 1 (12 libras) pechuga empacadora completa

- 2 cucharadas de mostaza amarilla

- Sal

- Pimienta negra recién molida

Direcciones:

Cubra la pechuga con mostaza y sazone con sal y pimienta.

Coloque la pechuga directamente sobre la rejilla de la parrilla y fume hasta que su temperatura interna de humo alcance los 160 ° F y la pechuga haya formado una corteza oscura.

Saque la pechuga de la parrilla y envuélvala completamente en papel de aluminio o papel de estraza.

Transfiera la pechuga envuelta a una caldera, cubra la hielera y deje reposar la pechuga durante 1 o 2 horas.

Retirar la pechuga de la más relajada y desenvolverla.

37. Extremos quemados por calor dulce

Ingredientes:

- 1 punto de pechuga (6 libras)
- 2 cucharadas de mostaza amarilla
- 1 lote de frote de azúcar morena dulce
- 2 cucharadas de miel
- 1 taza de salsa barbacoa
- 2 cucharadas de azúcar morena clara

Direcciones:

Cubra toda la punta con mostaza y sazone con la mezcla. Usando sus manos, frote la carne.

Coloque la punta directamente sobre la rejilla de la parrilla y ahúme hasta que su temperatura interna de humo alcance los 165 ° F.

Saque la pechuga de la parrilla y envuélvala completamente en papel de aluminio o papel de estraza.

Retire la punta de la parrilla, desenvuélvala y corte la carne en cubos de 1 pulgada. Coloque los cubos en una sartén de aluminio y agregue la miel, la salsa barbacoa y el azúcar morena.

Coloca la sartén en el grill y ahúma los dados de carne durante 1 hora más, sin tapar. Retire los extremos quemados de la parrilla y sirva inmediatamente.

38. Punta triple sellada al revés

Ingredientes:

- 1½ libras de asado de tres puntas
- 1 lote Espresso Brisket Rub

Direcciones:

Sazone el asado de tres puntas con el aderezo. Usando sus manos, frote la carne.

Coloque el asado directamente sobre la rejilla de la parrilla y ahúmelo hasta que su temperatura interna de humo alcance los 140 ° F.

Aumente la temperatura de ahumado de la parrilla a 450 ° F y continúe cocinando hasta que la temperatura interna de ahumado del asado alcance los 145 ° F. Esta misma técnica se puede hacer a fuego abierto o en una sartén de hierro fundido con un poco de mantequilla.

Retire el asado de tres puntas de la parrilla y déjelo reposar de 10 a 15 minutos, antes de cortarlo y servirlo.

39. Tri-Tip ahumado de George

Ingredientes:

- 1½ libras de asado de tres puntas
- Sal
- Pimienta negra recién molida
- 2 cucharaditas de ajo en polvo
- 2 cucharaditas de pimienta de limón
- ½ taza de jugo de manzana

Direcciones:

Sazone el asado de tres puntas con sal, pimienta, ajo en polvo y pimienta con limón. Usando sus manos, agregue el condimento a la carne.

Coloca el asado directamente sobre la parrilla y ahúmalo durante 4 horas.

Saque el tri-tip de la parrilla y colóquelo en suficiente papel de aluminio para envolverlo por completo.

Dobla tres lados del papel aluminio alrededor del asado y agrega el jugo de manzana. Doblar hacia adentro, encerrando completamente el tri-tip y el líquido. Regrese el tri-tip envuelto a la parrilla y cocine por 45 minutos más.

Retire el asado de tres puntas de la parrilla y déjelo reposar durante 10 a 15 minutos, antes de desenvolverlo, cortarlo y servirlo.

40. Boloñesa Carne

Ingredientes:

- Carne molida (2 libras, 0,9 kg)
- Aceite de oliva - 1 cucharada
- 3 dientes de ajo picados
- 1 cebolla amarilla, pelada y cortada en cubitos
- 3 tomates grandes, picados
- Salsa de tomate - 2 tazas
- Orégano seco - 2 cucharaditas
- Albahaca seca - 1 cucharadita
- Sal y pimienta negra
- Espaguetis (8 oz, 227 g)

- Mantequilla salada - 1 cucharada
- Queso parmesano rallado

Direcciones:

Primero, calienta el aceite en una sartén profunda. Agregue la carne, el ajo y la cebolla a la sartén. Sofría hasta que la carne se dore y la cebolla se ablande.

Agregue los tomates seguidos de la salsa de tomate, el orégano, la albahaca, el pimentón, la sal y la pimienta negra. Revuelve para combinar. Deje hervir a fuego lento durante 5 minutos y revuelva de vez en cuando.

Retire la sartén de la estufa y transfiérala al ahumador. Fumar durante 1-1$\frac{1}{2}$ horas y revolver de vez en cuando.

Mientras tanto, cocine los espaguetis usando el paquete Instrucciones: luego escurra.

41. Brunch Burger

Ingredientes:

- Chuck de carne magra molida (6 oz, 170 g)
- 4 lonchas de tocino, cocidas hasta que estén crujientes
- Sal y pimienta negra
- Aceite de oliva
- 2 bollos de hamburguesa
- 2 rebanadas de queso americano
- 2 huevos medianos, fritos
- 2 croquetas de patata, cocidas y mantenidas calientes

Direcciones:

Divida la carne en dos porciones y forme empanadas finas y uniformes. Sazone con sal y pimienta negro.

Cepille la rejilla con aceite antes de colocar las hamburguesas encima. Ase durante 3-4 minutos por cada lado hasta que esté cocido a su gusto.

Retire las hamburguesas de la parrilla y colóquelas en un bollo. Cubra cada hamburguesa con una rebanada de queso, tocino, seguido de un huevo frito y hash brown.

Sirva de inmediato.

42. Pastrami clásico

Ingredientes:

- Pechuga de ternera, cortada desde la punta
- Sal kosher - $6\frac{1}{2}$ cucharadas
- Azúcar morena - 6 cucharadas
- Semillas de cilantro - $\frac{1}{4}$ de cucharadita
- Miel - 1 cucharada
- 3 hojas de laurel picadas
- Ajo, pelado y picado - 1 cucharadita
- Pimienta de Cayena - $\frac{1}{4}$ de cucharadita
- Granos de pimienta negra enteros - $\frac{1}{4}$ de taza
- Azúcar morena - 1 cucharada

- Semillas de cilantro - $\frac{1}{4}$ de taza
- Ajo en polvo - 2 cucharaditas
- Pimentón - 1 cucharada
- Cebolla en polvo - 2 cucharaditas

Direcciones:

Combine la sal kosher, el azúcar morena, las semillas de cilantro, la sal de curado, la miel, las hojas de laurel, el ajo y la pimienta de cayena y transfiéralas a un recipiente grande.

Agregue la carne a la salmuera enfriada y pese con un plato. Deja la carne a un lado durante una semana en salmuera.

En un tazón, combine los granos de pimienta negra, el azúcar morena, las semillas de cilantro, el ajo en polvo, el pimentón y la cebolla en polvo. Frote la mezcla uniformemente sobre el exterior de la carne. Coloque la carne en la parrilla y cocine por 4 horas.

43. Nachos de carne completamente cargados

Ingredientes:

- Carne molida (1 libra, 0,45 kgs)
- 1 bolsa grande de totopos
- 1 pimiento verde, sin semillas y cortado en cubitos
- Cebolletas, rebanadas - $\frac{1}{2}$ taza
- Cebolla morada, pelada y cortada en cubitos - $\frac{1}{2}$ taza
- Queso cheddar, rallado - 3 tazas
- Crema agria, guacamole, salsa - para servir

Direcciones:

En una sartén de hierro fundido, coloque una doble capa de totopos.

Esparcir sobre la carne molida, el pimiento morrón, las cebolletas, la cebolla morada y finalmente el queso cheddar.

Coloque la sartén de hierro fundido en la parrilla y cocine durante aproximadamente 10 minutos hasta que el queso se haya derretido por completo.

Retire la parrilla y sirva con crema agria, guacamole y salsa al lado.

44. Rollo de Bolonia Ahumado Entero

Ingredientes:

- Rollo de mortadela de ternera entera (3 libras, 1,4 kg)
- Pimienta negra, recién molida - 2 cucharadas
- Azúcar morena - $\frac{3}{4}$ taza
- Mostaza amarilla - $\frac{1}{4}$ de taza

Direcciones:

Combine la pimienta negra y el azúcar morena.

Marque el exterior de la mortadela con un patrón de diamante.

Extienda la mostaza sobre el exterior de la mortadela y luego frote la pimienta negra / azúcar hasta que esté bien cubierta y uniformemente.

Coloque la mortadela en la rejilla superior del ahumador y cocine durante 3-4 horas hasta que el exterior se caramelice.

Cortar la mortadela en rodajas de grosor medio y servir.

45. Costillas BBQ con miel y manzana

Ingredientes:

- 4 losas de costillas de bebé
- Pimentón - ½ taza
- Azúcar morena - ⅔ taza
- Cebolla en polvo - 2 cucharadas
- Ajo en polvo - ⅓ taza
- Pimienta de Cayena - 1 cucharada
- Chile en polvo - 2 cucharadas
- Pimienta blanca - 1 cucharada
- Pimienta negra - 1 cucharada
- Comino molido - 1½ cucharaditas
- Orégano seco - 1½ cucharaditas

- Jugo de uva blanca - ½ taza
- Jugo de manzana - ½ taza
- Cariño
- salsa BBQ

Direcciones:

Primero, prepare la mezcla y espolvoree la mezcla de la mezcla de manera uniforme sobre las costillas de ambos lados.

Coloque las costillas en la parrilla caliente, cierre la tapa y cocine durante 45 minutos.

Mientras tanto, mezcle el jugo de uva y manzana y déjelo a un lado.

Vierta el jugo de uva-manzana sobre las costillas. Rocíe una cantidad generosa de miel sobre las mezclas. Envuelva las costillas con el papel de aluminio, sellando bien los bordes.

Regrese las costillas a la parrilla y cocine por una hora más.

46. Filetes de costilla ahumados

Ingredientes:

- 2 filetes de costilla gruesos (1,5 libras, 0,68 kg)
- Sal y pimienta negra
- Filetes fritos, de tu elección

Direcciones:

Deje reposar los filetes a temperatura ambiente durante media hora.

Sazone los filetes con sal, pimienta negra y el aderezo que elija. Coloca los filetes directamente sobre la parrilla y cocina por poco más de 20 minutos.

Quite las rayas de la parrilla y ajuste la temperatura de humo a 400 ° F (205 ° C).

Dorar los bistecs cocidos en la parrilla más caliente durante 5 minutos por cada lado.

Envuelva los filetes en papel de cocina y déjelos reposar durante 10 minutos.

Cortar y servir con los acompañamientos que elijas.

47. Pechuga de res ahumada al estilo tejano

Ingredientes:

- 1 paquete de pechuga entera
- Sal marina - 2 cucharadas
- Ajo en polvo - 2 cucharadas
- Pimienta negra - 2 cucharadas

Direcciones:

En un tazón, combine los ingredientes del aderezo, la sal marina, el ajo en polvo y la pimienta negra. Frote el condimento por toda la pechuga.

Coloque la carne en el ahumador con el extremo puntiagudo hacia la fuente de calor principal. Cierre la tapa del ahumador y fume durante aproximadamente 8 horas.

Envuelva la carne doblando el borde del papel de aluminio sobre el borde para crear un sello a prueba de hojas en todo el contorno. Regrese la pechuga envuelta en papel de aluminio al ahumador, con el lado de la costura hacia abajo.

Cierre la tapa del ahumador y continúe cocinando a 225 ° F (110 ° C). Esto tardará entre 5 y 8 horas.

48. Tomahawk de Saskatchewan ennegrecido

Ingredientes:

- 2 (40 oz) filetes Tomahawk
- 4 cucharadas de mantequilla
- 4 cucharadas de masaje Saskatchewan ennegrecido

Direcciones:

Cuando esté listo para cocinar, ajuste la temperatura de ahumado a 225°F y precaliente con la tapa cerrada durante 15 minutos. Para un sabor óptimo, use Super Smoke si está disponible.

Cubra los filetes fríos en Blackened Saskatchewan Rub. Deje reposar 10 minutos para que el condimentoadherirse.

Coloque los bistecs directamente sobre las rejillas de la parrilla y ahúmen durante unos 40 minutos, o hasta que la temperatura interna alcance los 119°F. Retirar de la parrilla y envolver bien en papel de aluminio para que descanse. Suba la temperatura del humo en la parrilla a 400°F- con una sartén o plancha de hierro fundido en su interior. Cuando la sartén esté caliente, agregue 2 cucharadas de mantequilla y dore el primer bistec, aproximadamente de 2 a 4 minutos por lado, o hasta que la temperatura interna de humo sea 125°F - 130°F

49. Pechuga BBQ

Ingredientes:

- 1 (12-14 Lb.) de pecho completo para empaque
- Frote de carne, según sea necesario

Direcciones:

Cubra la carne generosamente con Beef Rub

Cuando esté sazonada, envuelva la pechuga en una envoltura de plástico. Deje reposar la carne envuelta de 12 a 24 horas en el refrigerador.

Coloque la carne con la grasa hacia abajo en la rejilla de la parrilla y cocine durante 6 horas.

Coloque la pechuga con papel de aluminio nuevamente en la parrilla y cocine hasta que alcance una temperatura interna de humo de

204°C, esto debería tomar de 3 a 4 horas adicionales.

Retirar de la parrilla y dejar reposar en el papel de aluminio durante al menos 30 minutos. Rodaja. ¡Disfrutar!

50. Fajitas de ternera

Ingredientes:

- 2 libras de tiras de carne
- 1 cebolla grande (en rodajas)
- 2 tallos de apio (cortados en cubitos)
- 1 pimiento rojo grande (en rodajas)
- 1 pimiento naranja grande (en rodajas)
- 1 pimiento verde (en rodajas)
- 2 cucharadas de jugo de lima
- 2 cucharaditas de comino
- 2 cucharaditas de chile en polvo
- 1 cucharadita de azúcar morena

- $\frac{1}{2}$ cucharadita de pimentón
- 1 cucharada de aceite de oliva
- 1 cucharadita de sal
- $\frac{1}{2}$ cucharadita de pimienta negra molida

Direcciones:

En un tazón grande, combine el comino, el jugo de limón, la sal, la pimienta negra, el pimentón y el azúcar. Agregue la carne y revuelva para combinar. Cubre bien el tazón con papel de aluminio y refrigera por 1 hora.

Coloque una sartén sobre la rejilla de la parrilla y agregue el aceite. Agregue la cebolla, el apio, el pimiento rojo, el pimiento naranja y el pimiento verde. Saltee hasta que las verduras estén tiernas.

Coloca las tiras de carne en la rejilla de la parrilla. Cocine durante unos 12 minutos.

CONCLUSIÓN

Así que ahora que hemos llegado al final del libro, soy muy optimista de que esté familiarizado con algunas de las mejores recetas de parrilla para ahumadores que lo convertirán en un profesional en la parrilla, la barbacoa y la cocina en general.

A veces, ver tantas recetas brevemente puede resultar abrumador. Por lo tanto, hemos segmentado este libro en diferentes secciones, cada una de las cuales abarca recetas de un tipo similar. Por lo tanto, revise el libro cuando sea necesario y asegúrese de seguir las instrucciones de la receta a fondo.